RECETTES POUR BARS & CARRÉS POUR LES DÉBUTANTS

50+ RECETTES FACILES, SAINES ET DÉLICIEUSES

POUR PASSER UN BON MOMENT

MARYE GAUDIN

TABLE DES MATIÈRES

INTRODUCTION

Pourquoi tout ce bruit autour des bars à desserts et des places?

C'est peut-être parce que les barres de dessert et les carrés semblent plus faisables qu'un gâteau de fantaisie? Ou peut-être est-ce qu'ils ont tendance à être doux, gluants et incroyablement délicieux? Ils ont également tendance à être un excellent régal à emporter à une fête et sont incroyables quand il est temps de faire des pâtisseries pendant les fêtes!

Les barres à dessert et les carrés, sont un type de "bar cookie" américain qui a la texture d'un gâteau ferme ou plus doux que le cookie habituel. Ils sont préparés dans une casserole puis cuits au four. Ils sont coupés en carrés ou en rectangles.Les saveurs populaires incluent les barres de beurre d'arachide, les barres de citron, les barres de chocolat et de noix de coco, les barres d'ananas, les barres de pomme, les barres d'amande, les barres de caramel, les barres de gâteau au fromage au chocolat, la barre de sept couches, etc.

En plus du sucre, des œufs, du beurre, de la farine et du lait, les ingrédients courants sont les pépites de chocolat, les noix, la confiture de framboises, la noix de coco, le cacao en poudre, le biscuit Graham, le pudding, les mini-guimauves, le beurre d'arachide, la crème sure, la rhubarbe, les bretzels, les bonbons, vanille, raisins secs et citrouille.

Dans ce livre, j'ai rassemblé le bar à desserts préféré absolu et les recettes carrées que vous pouvez apporter aux fêtes et aux repas-partage, ou profiter d'un régal à tout moment. b

Ces recettes faciles sont celles sur lesquelles vous vous fierez encore et encore lorsque vous nourrissez un groupe de personnes ou que vous vous préparez pour les vacances!

1. Barres de cajou au caramel salé

Ingrédients:
- 2 tasses de farine tout usage
- ½ cuillère à café levure chimique
- ½ cuillère à café sel
- 12 TBSP. beurre, à température ambiante
- 6 TBSP. beurre non salé, coupé en morceaux
- 1 tasse de cassonade claire, bien tassée
- 1 œuf large
- 3 cuillères à café extrait de vanille
- 1½ tasse de sucre granulé
- 1 tasse de crème épaisse
- 2 tasses de noix de cajou grillées et salées

a) Chauffer le four à 340 ° F (171 ° C). Tapisser un plat de cuisson de 9 × 13 po (23 × 33 cm) de papier sulfurisé et réserver. Dans un petit bol, mélanger la farine tout usage, la poudre à pâte et ¼ cuillère à café de sel. Mettre de côté.

b) Dans un bol moyen, mélanger 6 cuillères à soupe de beurre, le beurre non salé et la cassonade légère au batteur électrique à vitesse moyenne pendant 5 minutes jusqu'à consistance légère et mousseuse. Ajouter l'œuf et 1 cuillère à café d'extrait de vanille et battre pendant 2 minutes à basse vitesse jusqu'à ce que le tout soit combiné.

c) Ajouter le mélange de farine et battre à vitesse moyenne pendant 2 à 3 minutes. Presser le mélange de croûte dans le moule préparé. Réfrigérez pendant 30 minutes.

d) Dans une poêle moyenne antiadhésive à feu moyen, chauffer le sucre granulé. Lorsque vous voyez que le sucre commence à colorer, remuez jusqu'à ce qu'il soit brun clair, environ 5 à 7 minutes. Ajouter délicatement la crème épaisse et remuer jusqu'à consistance lisse.

e) Baissez le feu à doux et ajoutez les 6 cuillères à soupe restantes de beurre, les 2 cuillères à café restantes d'extrait de vanille et le quart de cuillère à café de sel restant. Remuer jusqu'à ce que le beurre soit fondu et retirer du feu.

f) Incorporer les noix de cajou au mélange de caramel. Versez le mélange caramel-noix de cajou dans la poêle sur la croûte refroidie. Cuire au four pendant 20 minutes jusqu'à ce que ce soit pris. Laisser refroidir complètement avant de couper.

2. Caramels à la pistache

Ingrédients:
- ½ tasse de beurre
- 2 tasses de cassonade foncée, bien tassée
- ½ tasse de sirop de maïs noir
- 2 tasses de crème épaisse
- ¼ c. À thé sel
- 1 tasse de pistaches hachées, rôties
- 2 cuillères à café extrait de vanille

les directions
a) Tapisser un moule carré de 8 po (20 cm) de papier d'aluminium, vaporiser d'un aérosol de cuisson antiadhésif et réserver.
b) Dans une casserole moyenne à feu doux, faire fondre le beurre. Ajouter la cassonade foncée, le sirop de maïs noir, 1 tasse de crème épaisse et le sel. Porter à ébullition, en remuant de temps à autre, de 12 à 15 minutes ou jusqu'à ce que le mélange atteigne 225 ° F (110 ° C) sur un thermomètre à bonbons.
c) Ajouter lentement 1 tasse de crème épaisse restante. Porter le mélange à ébullition et cuire encore 15 minutes ou jusqu'à ce qu'il atteigne 250 ° F (120 ° C). Retirer du feu et ajouter les pistaches et l'extrait de vanille. Versez dans la casserole préparée.
d) Laisser refroidir au moins 3 heures avant de démouler et de couper en 48 morceaux.
e) Coupez le papier ciré en 48 carrés de 7,5 cm (3 pouces). Placez chaque caramel au centre d'un carré de papier ciré, enroulez le papier autour du caramel et tordez les extrémités du papier.

3. Carrés de citron vert

Ingrédients:
- 4 cuillères à soupe. beurre non salé, à température ambiante
- 4 cuillères à soupe. beurre, à température ambiante
- ½ tasse de sucre glace
- 2 tasses plus 5 cuillères à soupe. farine tout usage
- 1 cuillère à café extrait de vanille
- Pincée de sel
- 4 gros œufs, légèrement battus
- 1¾ tasse de sucre granulé
- ¼ tasse de jus de citron vert
- 1 CUILLÈRE À SOUPE. zeste de lime râpé

les directions

1. Chauffer le four à 340 ° F (171 ° C). Enduire légèrement un plat de cuisson de 9 × 13 po (23 × 33 cm) d'un aérosol de cuisson antiadhésif et réserver.
2. Dans un grand bol, battre le beurre non salé, le beurre et le sucre glace au batteur électrique à vitesse moyenne pendant 3 à 4 minutes ou jusqu'à consistance légère et mousseuse.
3. Ajouter la farine tout usage, l'extrait de vanille et le sel et mélanger pendant 2 à 3 minutes de plus ou jusqu'à ce que le tout soit bien mélangé.
4. Presser la pâte dans le fond du moule préparé. Cuire au four de 20 à 23 minutes, jusqu'à ce qu'elles soient légèrement dorées. Laisser la croûte refroidir pendant 10 minutes.
5. Dans un grand bol, fouetter ensemble les œufs et le sucre granulé. Ajouter le jus de lime Key et le zeste de lime et bien fouetter.
6. Verser le mélange sur la croûte refroidie et cuire au four de 23 à 25 minutes ou jusqu'à ce que le tout soit pris.

Laisser refroidir complètement avant de couper en 12 carrés.

7. Conservation: Conserver hermétiquement emballé dans une pellicule plastique au réfrigérateur jusqu'à 5 jours.

4. Bouchées de granola au chocolat blanc

Ingrédients:
- 1½ tasse de granola
- 3 cuillères à soupe. beurre fondu
- 2 tasses de chocolat blanc fondant

les directions

1. Chauffer le four à 250 ° F (120 ° C). Sur une plaque à pâtisserie à rebords, mélanger le granola et 2 cuillères à soupe de beurre. Placez la plaque à pâtisserie au four pendant 5 minutes.
2. Retirer la plaque à pâtisserie et remuer jusqu'à ce que le granola soit complètement mélangé au beurre. Remettre la plaque à pâtisserie au four pendant 15 minutes, en remuant toutes les 5 minutes. Retirer du four et laisser refroidir complètement le granola.
3. Au bain-marie à feu moyen, mélanger le chocolat blanc fondu et 1 cuillère à soupe de beurre restant. Remuer pendant 5 à 7 minutes ou jusqu'à ce que le chocolat blanc soit complètement fondu et bien mélangé avec le beurre. Retirer du feu.
4. Incorporer le granola refroidi au mélange de chocolat blanc. Déposer des cuillères à soupe sur du papier sulfurisé et laisser refroidir complètement avant de servir.
5. Conservation: Conserver dans un récipient hermétique à température ambiante pendant 1 semaine maximum.

5. Carrés de caramel au bacon confit

Ingrédients:
- 8 tranches de bacon
- ¼ tasse de cassonade claire, bien tassée
- 8 TBSP. beurre ramolli
- 2 CUILLÈRES À SOUPE. beurre non salé, ramolli
- ⅓ tasse de cassonade foncée, bien tassée
- ⅓ confiseurs de tasse' du sucre
- 1½ tasse de farine tout usage
- ½ cuillère à café sel
- ½ tasse de morceaux de caramel
- 1 tasse de pépites de chocolat noir
- ⅓ tasse d'amandes hachées

les directions
1. Chauffer le four à 350 ° F (180 ° C). Dans un bol moyen, mélanger le bacon et la cassonade légère et disposer en une seule couche sur une plaque à pâtisserie.
2. Cuire au four de 20 à 25 minutes ou jusqu'à ce que le bacon soit doré et croustillant. Retirer du four et laisser refroidir de 15 à 20 minutes. Coupez en petits morceaux.
3. Réduisez la température du four à 340 ° F (171 ° C). Tapisser un plat de cuisson de 9 × 13 po (23 × 33 cm) de papier d'aluminium, vaporiser d'un aérosol de cuisson antiadhésif et réserver.
4. Dans un grand bol, mélanger le beurre, le beurre non salé, la cassonade foncée et le sucre glace au batteur électrique à vitesse moyenne jusqu'à consistance légère et mousseuse. Ajouter graduellement la farine tout usage et le sel, en mélangeant jusqu'à ce qu'ils soient tout juste combinés. Incorporer ¼ tasse de morceaux de caramel jusqu'à ce qu'ils soient répartis uniformément.
5. Presser la pâte dans le moule préparé et cuire au four pendant 25 minutes ou jusqu'à ce qu'elle soit dorée.

Retirer du four, saupoudrer de pépites de chocolat noir et laisser reposer 3 minutes ou jusqu'à ce que les pépites soient ramollies.

6. Étendre uniformément le chocolat ramolli sur le dessus et saupoudrer d'amandes, de bacon confit et de ¼ tasse de morceaux de caramel. Laisser refroidir pendant 2 heures ou jusqu'à ce que le chocolat soit pris. Couper en 16 carrés de 2 po (5 cm).

7. Conservation: Conserver dans un contenant hermétique au réfrigérateur jusqu'à 1 semaine.

6. Barres de rêve au caramel et aux noix

Ingrédients:
- 1 boîte de mélange à gâteau jaune
- 3 cuillères à soupe de beurre ramolli
- 1 oeuf
- 14 onces de lait concentré sucré
- 1 oeuf
- 1 cuillère à café d'extrait de vanille pure
- 1/2 tasse de noix finement moulues
- 1/2 tasse de morceaux de caramel finement moulus

Les directions:
a) Préchauffer le four à 350. Préparer un moule à gâteau rectangulaire avec un enduit à cuisson, puis réserver.
b) Mélanger le mélange à gâteau, le beurre et un œuf dans un bol à mélanger, puis mélanger jusqu'à ce qu'ils soient friables. Presser le mélange au fond du moule préparé puis réserver.
c) Dans un autre bol à mélanger, mélanger le lait, l'œuf restant, l'extrait, les noix et les morceaux de caramel.
d) Bien mélanger et verser sur la base de la casserole. Cuire au four pendant 35 minutes.

7. Barres de pacanes chroniques

INGRÉDIENTS

- 2 tasses de moitiés de pacanes
- 1 tasse de farine de manioc
- 1/2 tasse de farine de lin doré
- 1/2 tasse de noix de coco râpée non sucrée
- 1/2 tasse d'huile de coco Cana
- 1/4 tasse de miel
- 1/4 c. À thé Stevia liquide

DIRECTIONS

1. Mesurer 2 tasses de moitiés de pacanes et cuire au four pendant 6 à 8 minutes à 350F au four. Juste assez pour quand ils commencent à devenir aromatiques.
2. Retirez les pacanes du four, puis ajoutez-les dans un sac en plastique. Utilisez un rouleau à pâtisserie pour les écraser en morceaux. Peu importe la cohérence,
3. Mélangez les ingrédients secs dans un bol: 1 tasse de farine de manioc, 1/2 tasse de farine de lin doré et 1/2 tasse de noix de coco râpée non sucrée.
4. Ajouter les pacanes écrasées dans le bol et mélanger à nouveau.
5. Enfin, ajoutez 1/2 tasse d'huile de coco Cana, 1/4 tasse de miel et 1/4 c. Liquid Stevia. Mélangez bien jusqu'à ce qu'une pâte friable se forme.
6. Presser la pâte dans une casserole.
7. Cuire au four pendant 20-25 minutes à 350F, ou jusqu'à ce que les bords soient légèrement dorés.
8. Retirer du four; laisser refroidir partiellement et réfrigérer pendant au moins 1 heure.
9. Couper en 12 tranches et retirer à l'aide d'une spatule.

8. Carrés de chia au beurre d'amande

INGRÉDIENTS

- 1/2 tasse d'amandes crues
- 1 cuillère à soupe. + 1 cuillère à café Huile de noix de coco
- cuillère à soupe MAINTENANT Érythritol
- 2 cuillères à soupe. Beurre
- 1/4 tasse de crème épaisse
- 1/4 c. À thé Stevia liquide
- 1 1/2 c. À thé Extrait de vanille

DIRECTIONS

1 Ajouter 1/2 tasse d'amandes crues dans une poêle et faire griller pendant environ 7 minutes à feu moyen-doux. Juste assez pour que vous commenciez à sentir la noisette qui sort.

2 Ajouter les noix au robot culinaire et les broyer.

3 Une fois qu'ils ont atteint une consistance farineuse, ajoutez 2 cuillères à soupe. MAINTENANT Érythritol et 1 c. Huile de noix de coco.

4 Continuez à broyer les amandes jusqu'à ce que le beurre d'amande se forme. Le beurre est doré.

5 Une fois le beurre doré, ajoutez 1/4 tasse de crème épaisse, 2 c. MAINTENANT Érythritol, 1/4 c. Stevia liquide et 1 1/2 c. Extrait de vanille au beurre. Baisser le feu à doux et bien mélanger pendant que la crème bouillonne.

6 Broyer 1/4 tasse de graines de chia dans un moulin à épices jusqu'à ce qu'une poudre se forme.

7 Commencez à griller les graines de chia et 1/2 tasse de flocons de noix de coco râpés non sucrés dans une casserole à feu moyen-bas. Vous voulez que la noix de coco brunisse légèrement.

8 Ajouter le beurre d'amande au mélange de beurre et de crème épaisse et bien mélanger. Laissez cuire en pâte.

9 Dans un plat de cuisson carré (ou de la taille de votre choix), ajoutez le mélange de beurre d'amande, le mélange de chia grillé et de noix de coco et 1/2 tasse de crème de noix de coco. Vous pouvez ajouter la crème de coco dans une casserole pour la faire fondre légèrement avant de l'ajouter.

10 Ajoutez 1 cuillère à soupe. L'huile de coco et 2 cuillères à soupe. Farine de noix de coco et bien mélanger le tout.

11 À l'aide de vos doigts, emballez bien le mélange dans le plat de cuisson.

12 Réfrigérez le mélange pendant au moins une heure, puis sortez-le du plat de cuisson. Il devrait tenir forme maintenant.

13 Hachez le mélange en carrés ou de la forme de votre choix et remettez-le au réfrigérateur pendant au moins quelques heures de plus. Vous pouvez utiliser un excès de mélange pour former plus de carrés, mais je l'ai mangé à la place.

14 À emporter et grignoter comme vous le souhaitez!

9. **Pépites de graines de chia**

INGRÉDIENTS
- 2 cuillères à soupe d'huile de coco
- 1/2 tasse de graines de chia, moulues
- 3 onces Fromage cheddar râpé
- 1 1/4 tasse d'eau glacée
- 2 cuillères à soupe. Poudre de cosse de psyllium
- 1/4 c. À thé Gomme de xanthane
- 1/4 c. À thé Poudre d'ail
- 1/4 c. À thé Poudre d'oignon
- 1/4 c. À thé Origan
- 1/4 c. À thé Paprika
- 1/4 c. À thé Le sel
- 1/4 c. À thé Poivre

DIRECTIONS
1. Préchauffer le four à 375F. Moudre 1/2 tasse de graines de chia dans un moulin à épices. Vous voulez un repas comme une texture.
2. Ajouter les graines de chia moulues, 2 c. Poudre de cosse de psyllium, 1/4 c. Gomme xanthane, 1/4 c. Ail en poudre, 1/4 c. Oignon en poudre, 1/4 c. Origan, 1/4 c. Paprika, 1/4 c. Sel et 1/4 c. Poivrer dans un bol. Mélangez bien cela.
3. Ajoutez 2 cuillères à soupe. L'huile de coco aux ingrédients secs et mélangez-les ensemble. Il devrait se transformer en consistance de sable humide.

4. Ajouter 1 1/4 tasse d'eau glacée dans le bol. Mélangez-le très bien. Vous devrez peut-être passer plus de temps à le mélanger, car les graines de chia et le psyllium mettent un peu de temps à absorber l'eau. Continuez à mélanger jusqu'à ce qu'une pâte solide se forme.
5. Râper 3 oz. Fromage cheddar et ajoutez-le dans le bol.
6. À l'aide de vos mains, pétrissez la pâte ensemble. Vous voulez qu'il soit relativement sec et non collant au moment où vous avez terminé.
7. Mettez la pâte sur un silpat et laissez reposer quelques minutes.
8. Étalez ou étalez la pâte finement pour qu'elle recouvre tout le silpat. Si vous pouvez l'amincir, continuez à rouler et conservez l'excédent pour un deuxième cuisinier.
9. Cuire au four de 30 à 35 minutes jusqu'à cuisson complète.
10. Sortez-les du four et coupez-les en craquelins individuels lorsqu'ils sont chauds.
11. Vous pouvez soit utiliser le bord émoussé d'un couteau (ne pas couper dans le silicone), soit une grande spatule.
12. Remettez les craquelins au four pendant 5 à 7 minutes sur le gril ou jusqu'à ce que les dessus soient dorés et bien croustillants. Retirer du four et mettre sur une grille pour refroidir. En refroidissant, ils deviennent plus croustillants.
13. Accompagnez vos sauces préférées. J'utilise mon aïoli aux chipotles à l'ail rôti.

10. Barres protéinées au chocolat et aux noix

Portions: 12 barres Temps de préparation: 1 heure

Ingrédients:

- 100% pur beurre de noix, 250 g
- Graine de barbillons rôtis, 1 cuillère à café et demie
- Yaourt nature sans gras, 110 g
- 100% poudre de protéine de lactosérum, 100 g
- Cannelle, 1 cuillère à café et demie
- Graines de cacao crues, 4 cuillères à café
- 85% chocolat noir, 100 g
- Extrait de vanille pur, 1 cuillère à soupe
- 100% Poudre de protéines de pois, 30 g

Méthode:

a) Ajouter tous les ingrédients sauf le chocolat au robot culinaire et mélanger jusqu'à consistance lisse.

b) Faire 12 barres avec le mélange et les réfrigérer 30 minutes.

c) Lorsque les barres sont fermes, faites fondre le chocolat au micro-ondes, trempez-y chaque barre et bien enrobez-les.

d) Disposer les barres enrobées sur une feuille doublée et réfrigérer à nouveau pendant 30 minutes ou jusqu'à ce que le chocolat soit ferme.

e) Prendre plaisir.

11. Barres de protéines au chocolat allemand

Portions: 12 barres

Temps de préparation: 2 heures 20 minutes

Ingrédients:

- Avoine, 1 tasse
- Noix de coco râpée, ½ tasse + ¼ tasse, divisée
- Protéine de soja en poudre, ½ tasse
- Pacanes, ½ tasse + ¼ tasse, hachées, divisées
- Eau, jusqu'à ¼ tasse
- Poudre de cacao, ¼ tasse
- Extrait de vanille, 1 cuillère à café
- Eclats de cacao, 2 cuillères à soupe
- Sel, ¼ cuillère à café
- Dattes Medjool, 1 tasse, dénoyautées et trempées pendant 30 minutes

Méthode:

a) Traitez l'avoine jusqu'à obtenir une farine fine, puis ajoutez la poudre de cacao et la poudre de protéines, mélangez à nouveau.

b) Pendant ce temps, égouttez les dattes et ajoutez-les au robot culinaire. Mélangez pendant 30 secondes puis ajoutez ½ tasse de noix de coco râpée et ½ tasse de noix de pécan suivi du sel et de la vanille.

c) Traitez à nouveau et continuez à ajouter de l'eau petit à petit et formez la pâte.

d) Placer la pâte dans un grand bol et ajouter les pacanes et la noix de coco restantes, suivies des éclats de cacao.

e) Déposer la pâte sur du papier sulfurisé et la recouvrir d'un autre papier sulfurisé et former un carré épais.

f) Réfrigérer pendant 2 heures puis retirer le papier sulfurisé et trancher en 12 barres de la longueur désirée.

12. Barres protéinées Blueberry Bliss

Ingrédients:

- Flocons d'avoine 100% purs non contaminés, 1 + ½ tasse
- Pepitas, 1/3 tasse
- Amandes entières, ¾ tasse
- Compote de pommes non sucrée ¼ tasse
- Myrtilles séchées, ½ tasse pleine
- Graines de tournesol, ¼ tasse
- Beurre d'amande, 1 tasse
- Sirop d'érable, 1/3 tasse
- Noix, 1/3 tasse
- Pistaches, ½ tasse
- Graines de lin moulues, 1/3 tasse

Méthode:

a) Tapisser un plat de cuisson de papier ciré et réserver.
b) Dans un grand bol, mélanger les flocons d'avoine, les amandes, les graines de tournesol, les baies séchées, les noix, les pistaches, les graines de lin et les pepitas.
c) Arroser de compote de pommes et de sirop d'érable et bien mélanger.
d) Ajoutez maintenant le beurre et mélangez bien.
e) Transférer la pâte dans la poêle et égaliser par le haut.
f) Congelez pendant une heure. Lorsque le mélange est complètement pris, retournez-le sur le comptoir.
g) Tranchez dans votre épaississement désiré et la longueur en 16 barres.

13. Beurre d'arachide aux pépites de chocolat

Ingrédients:

- Farine de noix de coco, ¼ tasse
- Crème vanille stevia, 1 cuillère à café
- Farine d'arachide, 6 cuillères à soupe
- Extrait de vanille, 1 cuillère à café
- Sel, ¼ cuillère à café
- Pépites de chocolat miniatures, 1 cuillère à soupe
- Huile de coco, 1 cuillère à café, fondue et légèrement refroidie
- Isolat de protéines de soja, 6 cuillères à soupe
- Lait de cajou non sucré, ½ tasse + 2 cuillères à soupe

Méthode:

a) Tapisser un moule à pain de papier ciré. Mettez de côté.
b) Combinez les deux farines avec des protéines de soja et du sel.
c) Dans un autre bol, mélanger le lait de coco avec la stevia, le lait de cajou et la vanille. Versez ce mélange graduellement dans le mélange de farine et fouettez bien pour combiner.
d) Ajoutez maintenant ½ pépites de chocolat et incorporez-les délicatement au mélange.
e) Transférer le mélange dans le moule à pain préparé et étendre uniformément à l'aide d'une spatule.
f) Garnir du reste des pépites de chocolat et congeler pendant 3 heures.
g) Trancher selon l'épaisseur et la longueur désirées.

14. Barres protéinées aux graines de citrouille et de chanvre crues

Ingrédients:

- Dattes Medjool, ½ tasse, dénoyautées
- Extrait de vanille, ½ cuillère à café
- Graines de citrouille, ¼ tasse
- Sel, ¼ cuillère à café
- Cannelle, ½ cuillère à café
- Beurre de graines de chanvre, ½ tasse
- Noix de muscade, ¼ cuillère à café
- Eau, ¼ tasse
- Avoine crue, 2 tasses
- Graines de chia, 2 cuillères à soupe

Méthode:

a) Tapisser un plat de cuisson de papier sulfurisé et réserver. Faire tremper les dattes pendant 30 minutes puis mélanger jusqu'à consistance lisse.

b) Transférer le mélange dans un bol et ajouter le beurre de chanvre et bien mélanger.

c) Maintenant, ajoutez les ingrédients restants et incorporez doucement pour bien incorporer.

d) Transférer dans la poêle et égaliser à l'aide d'une spatule.

e) Mettre au réfrigérateur pendant 2 heures puis trancher en 16 barres.

15. Ginger Vanilla Protein CrunchBars

Ingrédients:

- Beurre, 2 cuillères à soupe
- Avoine, 1 tasse
- Amandes crues, ½ tasse, hachées
- Lait de coco, ¼ tasse
- Noix de coco râpée, ¼ tasse
- Protéine en poudre (vanille), 2 cuillères
- Sirop d'érable, ¼ tasse
- Gingembre cristallisé, ½ tasse, haché
- Flocons de maïs, 1 tasse, pilés en miettes volumineuses
  Graines de tournesol, ¼ tasse

Méthode:

a) Faire fondre le beurre dans une casserole et ajouter le sirop d'érable. Bien mélanger.

b) Ajouter le lait suivi de la poudre de protéines et bien mélanger pour combiner. Lorsque le mélange prend une consistance lisse, éteignez le feu.

c) Dans un grand bol, ajoutez les graines de tournesol, les amandes, l'avoine, les flocons de maïs et ¾ morceaux de gingembre.

d) Versez le mélange sur les ingrédients secs et mélangez bien.

e) Transférer dans un moule à pain préparé avec du papier ciré et étendre en une couche uniforme.

f) Garnir du reste du gingembre et de la noix de coco. Cuire au four 20 minutes à 325 F. Laisser refroidir avant de trancher.

16. Barres de bretzel au beurre d'arachide

Ingrédients:

- Chips de soja, 5 tasses
- Eau, ½ tasse
- Mini bretzels torsadés, 6, grossièrement hachés
- Beurre d'arachide en poudre, 6 cuillères à soupe
- Arachides, 2 cuillères à soupe, hachées grossièrement
- Poudre de protéine de soja, 6 cuillères à soupe
- Copeaux de beurre d'arachide, 2 cuillères à soupe, coupées en deux Agave, 6 cuillères à soupe

Méthode:

a) Vaporiser un plat de cuisson avec un enduit à cuisson et réserver.

b) Transformez les chips de soja dans un robot culinaire et ajoutez-les dans un bol.

c) Ajouter la poudre de protéine et mélanger.

d) Faites chauffer une casserole et ajoutez l'eau, l'agave et le beurre en poudre. Remuer pendant la cuisson à feu moyen pendant 5 minutes. Laisser bouillir le mélange quelques secondes puis le mélange de soja en remuant constamment.

e) Transférer le mélange dans le moule préparé et garnir de bretzels, d'arachides et de copeaux de beurre d'arachide.

f) Réfrigérer jusqu'à fermeté. Coupez en barres et dégustez.

Melissa's Southern Style Kitchen

44

17. Protéines aux canneberges et aux amandes

.Ingrédients:

- Amandes rôties au sel de mer, 2 tasses
- Flocons de noix de coco non sucrés, ½ tasse
- Céréales de riz soufflé, 2/3 tasses
- Extrait de vanille, 1 cuillère à café
- Canneberges séchées, 2/3 tasse
- Graines de chanvre, 1 cuillère à soupe comble
- Sirop de riz brun, 1/3 tasse de miel, 2 cuillères à soupe

Méthode:

a) Combinez les amandes avec les canneberges, les graines de chanvre, les céréales de riz et la noix de coco. Mettez de côté.

b) Dans une casserole, ajoutez le miel suivi de la vanille et du sirop de riz. Remuer et faire bouillir pendant 5 minutes.

c) Versez la sauce sur les ingrédients secs et remuez rapidement pour combiner.

d) Transférer le mélange sur une plaque à pâtisserie préparée et étendre en une couche uniforme.

e) Réfrigérez pendant 30 minutes.

f) Lorsqu'ils sont pris, coupez-les en barres de la taille désirée et profitez-en.

18. Gâteau protéiné aux trois chocolats

Ingrédients:

- Farine d'avoine, 1 tasse
- Bicarbonate de soude, ½ cuillère à café
- Lait d'amande, ¼ tasse
- Poudre de protéine de lactosérum au chocolat, 1 cuillère
- Mélange à pâtisserie Stevia, ¼ tasse
- Farine d'amande, ¼ tasse
- Pépites de chocolat noir, 3 cuillères à soupe
- Sel, ¼ cuillère à café
- Noix, 3 cuillères à soupe, hachées
- Poudre de cacao noir non sucré, 3 cuillères à soupe
- Compote de pommes non sucrée, 1/3 tasse
- Oeuf, 1
- Yaourt grec nature, ¼ tasse
- Blancs d'œufs liquides, 2 cuillères à soupe
- Poudre de protéine de lactosérum à la vanille, 1 cuillère

Méthode:

a) Préchauffer le four à 350 F.

b) Graisser un plat de cuisson avec un enduit à cuisson et réserver.

c) Dans un grand bol, mélanger les deux farines avec du sel, du bicarbonate de soude, des poudres de protéines et du cacao noir en poudre. Mettez de côté.

d) Dans un autre bol, fouetter les œufs avec la stevia et fouetter jusqu'à ce que le tout soit bien mélangé, puis ajouter le reste des ingrédients humides et fouetter à nouveau.

e) Incorporer graduellement le mélange humide au mélange sec et bien fouetter pour combiner.

f) Ajoutez les noix et les pépites de chocolat, pliez-les délicatement.

g) Transférer le mélange dans le moule préparé et cuire au four pendant 25 minutes.

h) Laisser refroidir avant de retirer de la poêle et de trancher

19. Barres framboises et chocolat

Ingrédients:
- Beurre d'arachide ou d'amande, ½ tasse
- Graines de lin, ¼ tasse
- Agave bleu, 1/3 tasse
- Protéine de chocolat en poudre, ¼ tasse
- Framboises, ½ tasse
- Flocons d'avoine instantanés, 1 tasse

Méthode:
a) Mélanger le beurre d'arachide avec l'agave et cuire à feu doux en remuant constamment.

b) Lorsque le mélange forme une texture lisse, ajoutez-le à l'avoine, aux graines de lin et aux protéines. Bien mélanger.

c) Ajoutez les framboises et pliez-les délicatement.

d) Transférer la pâte dans le moule préparé et congeler pendant une heure.

e) Trancher en 8 barres une fois ferme et déguster.

20. Barres de pâte à biscuits au beurre d'arachide

Ingrédients:

- Flocons d'avoine, ¼ tasse
- Beurre d'arachide, 3 cuillères à soupe
- Protéine en poudre, ½ tasse
- Du sel, une pincée
- Grandes dattes Medjool, 10
- Noix de cajou crues, 1 tasse
- Sirop d'érable, 2 cuillères à soupe d'arachides entières, pour la garniture

Méthode:

a) Dans un robot culinaire, mélanger les flocons d'avoine en farine fine.

b) Maintenant, ajoutez tous les ingrédients sauf les arachides entières et mélangez jusqu'à consistance lisse.

c) Goûtez et faites les ajustements si vous le souhaitez.

d) Transférer le mélange dans un moule à pain et garnir d'arachides entières.

e) Réfrigérez pendant 3 heures. Lorsque le mélange est ferme, placez-le sur le comptoir de la cuisine et coupez-le en 8 barres de la longueur désirée.

21. Barres protéinées au muesli

Ingrédients:

- Lait d'amande non sucré, ½ tasse
- Miel, 3 cuillères à soupe
- Quinoa, ¼ tasse, cuit
- Graines de chia, 1 cuillère à café
- Farine, 1 cuillère à soupe
- Poudre de protéine de chocolat, 2 cuillères
- Pépites de chocolat, ¼ tasse
- Cannelle, ½ cuillère à café
- Banane mûre, ½, écrasée
- Amandes, ¼ tasse, tranchées
- Muesli, 1 ½ tasse, de votre marque préférée

Méthode:

a) Préchauffer le four à 350 F.
b) Mélanger le lait d'amande avec la purée de banane, les graines de chia et le miel dans un bol moyen et réserver.
c) Dans un autre bol, mélanger le reste des ingrédients et bien mélanger.
d) Maintenant, versez le mélange de lait d'amande sur les ingrédients secs et pliez bien le tout.
e) Transférer la pâte dans une casserole et cuire au four pendant 20 à 25 minutes.
f) Laisser refroidir avant de démouler et de trancher.

22. Barres protéinées au gâteau aux carottes

Ingrédients:

Pour les bars:

- Farine d'avoine, 2 tasses
- Lait sans produits laitiers, 1 cuillère à soupe
- Mélange d'épices, 1 cuillère à café
- Poudre de protéine de vanille, ½ tasse
- Carottes, ½ tasse, écrasées
- Cannelle, 1 cuillère à soupe
- Farine de noix de coco, ½ tasse, tamisée
- Sirop de riz brun, ½ tasse
- Édulcorant granulé au choix, 2 cuillères à soupe
- Beurre d'amande, ¼ tasse

Pour le glaçage:

- Poudre de protéine de vanille, 1 cuillère
- Lait de coco, 2-3 cuillères à soupe
- Fromage à la crème, ¼ tasse

Méthode:

a) Pour préparer des barres protéinées, combinez la farine avec un mélange d'épices, de poudre de protéines, de cannelle et d'édulcorant.

b) Dans un autre mais mélanger le beurre avec l'édulcorant liquide et micro-ondes pendant quelques secondes jusqu'à ce qu'il soit fondu.

c) Transférer ce mélange dans le bol de farine et bien mélanger.

d) Maintenant, ajoutez les carottes et pliez doucement.

e) Maintenant, ajoutez progressivement le lait, en remuant constamment jusqu'à ce que la consistance requise soit atteinte.

f) Transférer dans une casserole préparée et réfrigérer pendant 30 minutes.

g) Pendant ce temps, préparez le glaçage et combinez la poudre de protéines avec le fromage à la crème.

h) Ajouter graduellement le lait et bien mélanger pour obtenir la texture désirée.

i) Lorsque le mélange est pris, trancher en barres de la longueur désirée et faire mousser le glaçage sur chaque barre.

23. Barres à l'orange et aux baies de goji

Ingrédients:

- Poudre de protéine de lactosérum à la vanille, ½ tasse
- Zeste d'orange, 1 cuillère à soupe, râpée
- Amandes moulues, ¾ tasse
- 85% de chocolat noir, 40 g, fondu
- Lait de coco, ¼ tasse
- Farine de noix de coco, ¼ tasse
- Chili en poudre, 1 cuillère à café
- Essence de vanille, 1 cuillère à soupe
- Baies de Goji, ¾ tasse

Méthode:

a) Mélanger la poudre de protéines avec la farine de noix de coco dans un bol.

b) Ajouter le reste des ingrédients au mélange de farine.

c) Remuez le lait et mélangez bien.

d) Formez des barres à partir de la pâte et disposez-les sur une feuille.

e) Faire fondre le chocolat et le refroidir quelques minutes puis tremper chaque barre dans du chocolat fondu et disposer sur la plaque à pâtisserie.

f) Réfrigérer jusqu'à ce que le chocolat soit complètement ferme.

g) Prendre plaisir.

24. Barre protéinée fraise mûre

Ingrédients:

* Fraises lyophilisées, 60 g
* Vanille, ½ cuillère à café
* Noix de coco râpée non sucrée, 60 g
* Lait d'amande non sucré, 60 ml
* Poudre de protéine de lactosérum non aromatisée, 60 g de chocolat noir, 80 g

Méthode:

a) Traitez les fraises séchées jusqu'à ce qu'elles soient moulues, puis ajoutez le lactosérum, la vanille et la noix de coco. Traitez à nouveau jusqu'à ce qu'un mélange finement broyé se forme.

b) Incorporer le lait au mélange et mélanger jusqu'à ce que tout soit bien incorporé.

c) Tapisser un moule à pain de papier ciré et y transférer le mélange.

d) Utilisez une spatule pour répartir uniformément le mélange.

e) Réfrigérer jusqu'à ce que le mélange soit pris.

f) Faites chauffer le chocolat noir au micro-ondes pendant 30 secondes. Remuez bien jusqu'à ce qu'il soit lisse et complètement fondu.

g) Laisser refroidir légèrement le chocolat et entre-temps, trancher le mélange de fraises en huit barres de l'épaisseur désirée.

h) Maintenant, une par une trempez chaque barre dans le chocolat et bien les enrober.

i) Disposez les barres enduites sur une plaque à pâtisserie. Une fois que toutes les barres sont enrobées, réfrigérez-les jusqu'à ce que le chocolat soit pris et ferme.

25. Barres protéinées au moka

Ingrédients:

- Farine d'amande, 30 g
- Farine de coco, 30 g
- Espresso, 60 g, fraîchement préparé et refroidi
- Isolat de protéines de lactosérum non aromatisé, 60 g
- Sucre de coco, 20 g
- Poudre de cacao non sucrée, 14 g
- Chocolat noir avec 70% -85% d'extrait sec de cacao, 48 g

Méthode:

a) Combinez tous les ingrédients secs ensemble.

b) Remuez l'expresso et fouettez bien pour combiner sans grumeaux.

c) Le mélange se transformera en une boule lisse à ce stade.

d) Divisez-le en six morceaux de taille égale et formez chaque morceau en barre. Disposez les barres sur une feuille et couvrez-la de plastique. Réfrigérez pendant une heure.

e) Une fois que les barres sont prises, faites chauffer le chocolat noir au micro-ondes et remuez jusqu'à ce qu'il soit fondu.

f) Enrober chaque barre de chocolat fondu et disposer sur une plaque à pâtisserie recouverte de cire.

g) Verser le reste du chocolat sur le dessus en un tourbillon et réfrigérer à nouveau jusqu'à ce que le chocolat soit ferme.

26. Barres protéinées à la banane et au chocolat

Ingrédients:

- Banane lyophilisée, 40g
- Lait d'amande, 30 ml
- Isolat de protéine en poudre à saveur de banane, 70 g
- 100% beurre d'arachide, 25 g
- Flocons d'avoine sans gluten, 30 g
- 100% chocolat, 40 g
- Édulcorant, au goût

Méthode:

a) Banane moulue au robot culinaire. Maintenant, ajoutez la poudre de protéines et l'avoine, mélangez à nouveau jusqu'à ce qu'ils soient finement moulus.

b) Remuez les ingrédients restants sauf le chocolat et mélangez à nouveau jusqu'à consistance lisse.

c) Transférer le mélange dans un moule à pain tapissé et couvrir de plastique. Réfrigérer jusqu'à fermeté.

d) Lorsque les barres sont définies, coupez-les en quatre barres.

e) Maintenant, faites fondre le chocolat au micro-ondes et laissez-le refroidir légèrement avant d'y plonger chaque barre de banane. Bien enrober et réfrigérer à nouveau les barres jusqu'à ce que le chocolat soit ferme.

27. Barres crues célestes

Ingrédients:

- Lait de coco, 2 cuillères à soupe
- Poudre de cacao non sucrée, au besoin
- Protéine en poudre, 1 ½ cuillère
- Farine de lin, 1 cuillère à soupe

Méthode:

a) Mélangez tous les ingrédients ensemble.
b) Graisser un plat de cuisson avec un aérosol de cuisson sans farines et y transférer la pâte.
c) Laisser reposer le mélange à température ambiante jusqu'à ce qu'il soit ferme.

28. Bars de monstres

- 1/2 c. beurre ramolli
- 1 c. cassonade, tassée
- 1 c. du sucre
- 1-1 / 2 c. beurre d'arachide crémeux
- 3 œufs battus
- 2 t. extrait de vanille
- 2 t. bicarbonate de soude
- 4-1 / 2 c. avoine à cuisson rapide, non cuite
- 1 c. pépites de chocolat mi-sucré
- 1 c. chocolats enrobés de bonbons

a) Dans un grand bol, mélanger tous les ingrédients dans l'ordre indiqué. Étaler la pâte dans un moule à roulé en gelée graissé de 15 "x 10".
b) Cuire au four à 350 degrés pendant 15 minutes ou jusqu'à ce qu'ils soient légèrement dorés.
c) Laisser refroidir et couper en barres. Donne environ 1 1/2 douzaine.

29. Barres crumble aux bleuets

- 1-1 / 2 c. sucre découpé
- 3 c. farine tout usage
- 1 t. levure chimique
- 1/4 t. sel
- 1/8 t. cannelle
- 1 c. raccourcissement
- 1 œuf, battu
- 1 cuillère à soupe de fécule de maïs
- 4 c. myrtilles

a) Mélangez une tasse de sucre, la farine, la poudre à pâte, le sel et la cannelle.

b) Utilisez un emporte-pièce ou une fourchette pour couper le shortening et l'œuf; la pâte sera friable.

c) Pat la moitié de la pâte dans un plat de cuisson graissé de 13 "x 9"; mettre de côté.

d) Dans un autre bol, mélanger la fécule de maïs et le reste du sucre; incorporer délicatement les baies.

e) Saupoudrer uniformément le mélange de bleuets sur la pâte dans le moule.

f) Émietter le reste de la pâte sur le dessus. Cuire au four à 375 degrés pendant 45 minutes ou jusqu'à ce que le dessus soit légèrement doré. Laisser refroidir complètement avant de couper en carrés. Donne une douzaine.

30. Barres Gumdrop

- 1/2 c. beurre fondu
- 1/2 t. levure chimique
- 1-1 / 2 c. cassonade, tassée
- 1/2 t. sel
- 2 œufs battus
- 1/2 c. noix hachées
- 1-1 / 2 c. farine tout usage
- 1 c. gouttes de gomme, hachées
- 1 t. extrait de vanille
- Garniture: sucre en poudre

a) Dans un grand bol, mélanger tous les ingrédients sauf le sucre en poudre.

b) Étendre la pâte dans un plat de cuisson de 13 "x 9" graissé et fariné. Cuire au four à 350 degrés pendant 25 à 30 minutes, jusqu'à ce qu'elles soient dorées.

c) Saupoudrer de sucre en poudre. Frais; coupé en barres. Donne 2 douzaines.

31. Barres de pain aux noix salées

- 18-1 / 2 onces. pkg. mélange à gâteau jaune
- 3/4 c. beurre, fondu et divisé
- 1 œuf, battu
- 3 c. mini guimauves
- 10 oz. pkg. chips de beurre d'arachide
- 1/2 c. sirop de maïs léger
- 1 t. extrait de vanille
- 2 c. arachides salées
- 2 c. céréales de riz croustillantes

a) Dans un bol, mélanger le mélange à gâteau sec, 1/4 tasse de beurre et l'oeuf; presser la pâte dans un plat de cuisson graissé de 13 "x 9". Cuire au four à 350 degrés pendant 10 à 12 minutes.

b) Saupoudrer de guimauves sur la croûte cuite; remettre au four et cuire 3 minutes supplémentaires, ou jusqu'à ce que les guimauves soient fondues. Dans une casserole à feu moyen, faire fondre les chips de beurre d'arachide, le sirop de maïs, le reste du beurre et la vanille.

c) Incorporer les noix et les céréales. Étaler le mélange de beurre d'arachide sur la couche de guimauve. Réfrigérer jusqu'à fermeté; couper en carrés. Donne 2 1/2 douzaines.

32. Barres aux cerises de la Forêt-Noire

- 3 21 onces. boîtes de garniture pour tarte aux cerises, divisées
- 18-1 / 2 onces. pkg. mélange de gâteau au chocolat
- 1/4 c. huile
- 3 œufs battus
- 1/4 c. eau-de-vie ou jus de cerise à saveur de cerise
- 6 onces. pkg. pépites de chocolat mi-sucré
- Facultatif: garniture fouettée

a) Réfrigérer 2 boîtes de garniture à tarte jusqu'à ce qu'elles soient froides. À l'aide d'un batteur électrique à basse vitesse, battre ensemble le reste de la garniture à tarte, le mélange à gâteau sec, l'huile, les œufs et le brandy ou le jus de cerise jusqu'à ce que le tout soit bien mélangé.

b) Incorporer les pépites de chocolat.

c) Verser la pâte dans un plat de cuisson de 13 "x 9" légèrement graissé. Cuire au four à 350 degrés pendant 25 à 30 minutes, jusqu'à ce qu'un cure-dent teste propre; froideur. Avant de servir, étendre uniformément la garniture à tarte réfrigérée sur le dessus.

d) Couper en barres et servir avec une garniture fouettée, si désiré. Pour 10 à 12 personnes.

33. Barres de maïs soufflé aux canneberges

- 3 onces. pkg. maïs soufflé au micro-ondes, éclaté
- 3/4 c. pépites de chocolat blanc
- 3/4 c. canneberges séchées sucrées
- 1/2 c. noix de coco en flocons sucrée

- 1/2 c. amandes effilées, hachées grossièrement
- 10 oz. pkg. guimauves
- 3 cuillères à soupe de beurre

a) Tapisser un plat de cuisson de 13 "x 9" de papier d'aluminium; vaporiser d'un spray végétal antiadhésif et réserver. Dans un grand bol, mélanger le maïs soufflé, les pépites de chocolat, les canneberges, la noix de coco et les amandes; mettre de côté. Dans une casserole à feu moyen, mélanger les guimauves et le beurre jusqu'à ce qu'ils soient fondus et lisses.

b) Verser sur le mélange de maïs soufflé et mélanger pour enrober complètement; transférer rapidement dans le moule préparé.

c) Posez une feuille de papier ciré sur le dessus; appuyez fermement. Réfrigérer 30 minutes ou jusqu'à fermeté. Soulevez les barres de la casserole, en utilisant du papier d'aluminium comme poignées; décoller le papier d'aluminium et le papier ciré. Couper en barres; réfrigérer 30 minutes supplémentaires. Donne 16.

34. Bonjour Dolly Bars

- 1/2 c. margarine
- 1 c. chapelure de biscuits Graham
- 1 c. noix de coco en flocons sucrée
- 6 onces. pkg. pépites de chocolat mi-sucré
- 6 onces. pkg. chips de caramel au beurre
- 14 onces. boîte de lait concentré sucré
- 1 c. pacanes hachées

a) Mélanger la margarine et la chapelure de biscuits Graham; presser dans un moule à pâtisserie de 9 "x 9" légèrement graissé. Superposer avec de la noix de coco, des pépites de chocolat et des pépites de caramel au beurre.

b) Versez le lait concentré sur le dessus; saupoudrer de pacanes. Cuire au four à 350 degrés pendant 25 à 30 minutes. Laisser refroidir; coupé en barres. Donne 12 à 16.

35. Barres à la crème irlandaise

- 1/2 c. beurre ramolli
- 3/4 c. plus 1 cuillère à soupe de farine tout usage, divisée
- 1/4 c. sucre en poudre
- 2 cuillères à soupe de cacao
- 3/4 c. crème aigre
- 1/2 c. du sucre
- 1/3 c. Liqueur de crème irlandaise
- 1 œuf, battu
- 1 t. extrait de vanille
- 1/2 c. crème fouettée
- Facultatif: pépites de chocolat

a) Dans un bol, mélanger le beurre, 3/4 tasse de farine, le sucre en poudre et le cacao jusqu'à ce qu'une pâte molle se forme.

b) Presser la pâte dans un plat de cuisson non graissé de 8 "x 8". Cuire au four à 350 degrés pendant 10 minutes.

c) Pendant ce temps, dans un autre bol, fouetter ensemble la farine restante, la crème sure, le sucre, la liqueur, l'œuf et la vanille.

d) Bien mélanger; verser sur la couche cuite. Remettre au four et cuire 15 à 20 minutes supplémentaires, jusqu'à ce que la garniture soit prise.

e) Laisser refroidir légèrement; réfrigérer au moins 2 heures avant de couper en barres. Dans un petit bol, au batteur électrique à haute vitesse, battre la crème à fouetter jusqu'à formation de pics fermes.

f) Servir les barres garnies de cuillerées de crème fouettée et de saupoudres, si désiré.

g) Garder réfrigéré. Donne 2 douzaines.

36. Barres de tourbillon de banane

- 1/2 c. beurre ramolli
- 1 c. du sucre
- 1 oeuf
- 1 t. extrait de vanille
- 1-1 / 2 c. bananes, écrasées
- 1-1 / 2 c. farine tout usage
- 1 t. levure chimique
- 1 t. bicarbonate de soude
- 1/2 t. sel
- 1/4 c. Cacao à cuire

a) Dans un bol, battre ensemble le beurre et le sucre; ajoutez l'oeuf et la vanille. Bien mélanger; incorporer les bananes. Mettre de côté. Dans un autre bol, mélanger la farine, la poudre à pâte, le bicarbonate de soude et le sel; mélanger au mélange de beurre. Divisez la pâte en deux; ajouter le cacao à la moitié.

b) Verser la pâte ordinaire dans un plat de cuisson graissé de 13 "x 9"; déposer la pâte au chocolat sur le dessus. Remuez avec un couteau de table; cuire au four à 350 degrés pendant 25 minutes.

c) Frais; coupé en barres. Donne 2 1/2 à 3 douzaines.

37. Barres de gâteau au fromage à la citrouille

- 16 onces. pkg. mélange à gâteau quatre-quarts
- 3 œufs, divisés
- 2 cuillères à soupe de margarine, fondue et légèrement refroidie
- 4 t. épices pour tarte à la citrouille, divisées
- 8 onces. pkg. fromage à la crème, ramolli
- 14 onces. boîte de lait concentré sucré
- 15 onces. peut citrouille
- 1/2 t. sel

a) Dans un grand bol, mélanger le mélange à gâteau sec, un œuf, la margarine et 2 cuillères à café d'épices pour tarte à la citrouille; mélanger jusqu'à ce qu'ils soient friables. Presser la pâte dans un moule à bonbons graissé de 15 "x 10". Dans un autre bol, battre le fromage à la crème jusqu'à ce qu'il soit mousseux.

b) Incorporer le lait concentré, la citrouille, le sel et le reste des œufs et les épices. Bien mélanger; étalé sur la croûte. Cuire au four à 350 degrés pendant 30 à 40 minutes. Frais; réfrigérer avant de couper en barres. Donne 2 douzaines.

38. Barres granola

Ingrédients:

- Graines de citrouille, ½ tasse
- Miel, ¼ tasse
- Graines de chanvre. 2 cuillères à soupe
- Farine de noix de coco, ½ tasse
- Cannelle, 2 cuillères à café
- Artichaut en poudre, 1 cuillère à soupe
- Poudre de protéine de vanille, ¼ tasse
- Beurre de coco, 2 cuillères à soupe
- Baies de Goji, 1/3 tasse
- Pistaches, ½ tasse, hachées
- Du sel, une pincée
- Huile de coco, 1/3 tasse
- Lait de chanvre, 1/3 tasse
- Gousse de vanille, 1
- Graines de chia, 2 cuillères à soupe de flocons de noix de coco, 1/3 tasse

Méthode:
a) Mélanger tous les ingrédients ensemble et répartir uniformément dans une terrine.
b) Réfrigérez pendant une heure.
c) Une fois ferme et ferme, coupez en barres de la longueur désirée et dégustez.

39. Gruau à la citrouille à tout moment

Ingrédients:

- Œuf de lin, 1 (1 cuillère à soupe de lin moulu mélangé à 3 cuillères à soupe d'eau)
- Flocons d'avoine sans gluten, ¾ tasse
- Cannelle, 1 cuillère à café et demie
- Noix de pécan, ½ tasse, coupée en deux
- Gingembre moulu, ½ cuillère à café
- Sucre de coco, ¾ tasse
- Arrow-root en poudre, 1 cuillère à soupe
- Muscade moulue, 1/8 cuillère à café
- Extrait de vanille pur, 1 cuillère à café
- Sel de mer rose de l'Himalaya, ½ cuillère à café
- Purée de citrouille en conserve non sucrée, ½ tasse
- Farine d'amande, ¾ tasse
- Farine d'avoine roulée, ¾ tasse
- Mini pépites de chocolat sans journal, 2 cuillères à soupe
- Bicarbonate de soude, ½ cuillère à café

Méthode:

a) Préchauffer le four à 350 F.

b) Tapisser un moule carré de papier ciré et réserver.

c) Combinez l'œuf de lin dans une tasse et laissez reposer pendant 5 minutes.

d) Battre la purée avec le sucre et ajouter l'œuf de lin et la vanille. Battez à nouveau pour combiner.

e) Ajoutez maintenant le bicarbonate de soude suivi de la cannelle, de la muscade, du gingembre et du sel. Battez bien.

f) Ajouter enfin la farine, l'avoine, l'arrow-root, les pacanes et la farine d'amande et battre jusqu'à ce que le tout soit bien incorporé.

g) Transférer la pâte dans le moule préparé et garnir de pépites de chocolat.

h) Cuire au four pendant 15 à 19 minutes.

i) Laisser refroidir complètement avant de sortir de la poêle et de trancher.

40. Barres à la citrouille Red Velvet

Ingrédients:

- Petites betteraves cuites, 2
- Farine de noix de coco, ¼ tasse
- Beurre de graines de courge biologique, 1 cuillère à soupe
- Lait de coco, ¼ tasse
- Lactosérum à la vanille, ½ tasse
- 85% de chocolat noir, fondu

Méthode:

a) Mélanger tous les ingrédients secs ensemble sauf le chocolat.

b) Remuer le lait sur les ingrédients secs et bien lier.

c) Façonner en barres de taille moyenne.

d) Faites fondre le chocolat au micro-ondes et laissez-le refroidir quelques secondes. Trempez maintenant chaque barre dans du chocolat fondu et bien enrobez.

e) Réfrigérer jusqu'à ce que le chocolat soit pris et ferme.

f) Prendre plaisir.

41. Barres au citron enneigées

- 3 œufs, divisés
- 1/3 c. beurre, fondu et légèrement refroidi
- 1 cuillère à soupe de zeste de citron
- 3 cuillères à soupe de jus de citron
- 18-1 / 2 onces. pkg. mélange à gâteau blanc
- 1 c. amandes hachées
- 8 onces. pkg. fromage à la crème, ramolli
- 3 c. sucre en poudre
- Garniture: sucre en poudre supplémentaire

a) Dans un grand bol, mélanger un œuf, le beurre, le zeste de citron et le jus de citron. Incorporer le mélange à gâteau sec et les amandes, en mélangeant bien. Presser la pâte dans un moule à pâtisserie graissé de 13 "x 9". Cuire au four à 350 degrés pendant 15 minutes ou jusqu'à ce qu'ils soient dorés. Entre-temps, dans un autre bol, battre le fromage à la crème jusqu'à ce qu'il soit léger et mousseux; incorporer progressivement le sucre en poudre. Ajouter les œufs restants, un à la fois, en mélangeant bien après chacun.

b) Retirer la casserole du four; étendre le mélange de fromage à la crème sur la croûte chaude. Cuire au four de 15 à 20 minutes de plus, jusqu'à ce que le centre soit pris; frais. Saupoudrer de sucre en poudre avant de couper en barres. Donne 2 douzaines.

42. Barres au caramel au beurre faciles

- 12 onces. pkg. chips de caramel au beurre fondues
- 1 c. beurre ramolli
- 1/2 c. cassonade, tassée
- 1/2 c. du sucre
- 3 œufs battus
- 1-1 / 2 t. extrait de vanille
- 2 c. farine tout usage

a) Dans un bol, mélanger les chips de caramel au beurre et le beurre; bien mélanger. Ajouter les sucres, les œufs et la vanille; bien mélanger.

b) Incorporer progressivement la farine. Verser la pâte dans un plat de cuisson de 13 "x 9" légèrement graissé. Cuire au four à 350 degrés pendant 40 minutes.

c) Refroidissez et coupez en carrés. Donne 2 douzaines.

43. Barre aux cerises et aux amandes

Ingrédients:

- Poudre de protéine de vanille, 5 cuillères
- Miel, 1 cuillère à soupe
- Batteurs à oeufs, ½ tasse
- Eau, ¼ tasse
- Amandes, ¼ tasse, tranchées
- Extrait de vanille, 1 cuillère à café
- Repas aux amandes, ½ tasse
- Beurre d'amande, 2 cuillères à soupe
- Cerises douces foncées surgelées, 1 ½ tasse

Méthode:

a) Préchauffer le four à 350 F.

b) Coupez les cerises en dés et faites-les décongeler.

c) Mélanger tous les ingrédients, y compris les cerises décongelées, et bien mélanger.

d) Transférer le mélange dans un plat de cuisson graissé et cuire au four pendant 12 minutes.

e) Laisser refroidir complètement avant de démouler et de couper en barres.

44. Barres croustillantes au caramel

Ingrédients:
- 1½ tasse de flocons d'avoine
- 1½ tasse de farine
- ¾ tasse de cassonade
- ½ cuillère à café de bicarbonate de soude
- ¼ cuillère à café de sel
- ¼ tasse de beurre fondu
- ¼ tasse de beurre fondu

Garnitures
- ½ tasse de cassonade
- ½ tasse de sucre granulé
- ½ tasse de beurre
- ¼ tasse de farine
- 1 tasse de noix hachées
- 1 tasse de chocolat haché

Les directions:
1. Amenez la température de votre four à 350 F. Mettez l'avoine, la farine, le sel, le sucre et le bicarbonate de soude dans un bol puis mélangez bien. Mettez votre beurre et le beurre ordinaire et mélangez jusqu'à ce qu'il forme des miettes.
2. Mettez de côté au moins une tasse de ces miettes pour la garniture plus tard.
3. Préparez maintenant la casserole en la graissant avec un spray puis déposez le mélange d'avoine sur la partie inférieure de la casserole.
4. Mettez-le au four et faites cuire pendant un moment, puis retirez-le une fois qu'il est bien brun puis laissez-le refroidir. Ensuite, il faut préparer le caramel.
5. Pour ce faire, remuez le beurre et le sucre dans une casserole à fond épais pour éviter qu'elle ne brûle rapidement. Laisser bouillir ensuite après avoir ajouté la

farine. De retour à la base d'avoine, ajoutez le mélange de noix et de chocolat suivi du caramel que vous venez de faire, puis enfin, complétez avec les miettes supplémentaires que vous avez mises de côté.

6. Remettez-le au four et laissez cuire jusqu'à ce que les barres soient dorées, ce qui prendra environ 20 minutes.
7. Après la cuisson, laissez-le refroidir avant de le couper à la taille de votre choix.

45. Baies de maïs soufflé cuites deux fois

Ingrédients:

- 8 cuillères à soupe peuvent
- 6 tasses de guimauves ou mini guimauves
- 5 cuillères à soupe de beurre de noix
- 8 jours sur une campagne ou une campagne
- 1 noix de Grenoble, hachée
- 1 tasse de mini-plats
  Pour la garniture:

- ½ cup mini guimauves
- ½ tasse de mini-plats

les directions

1. Het four à 350 degres F.
2. Couvrir le fond d'une zone carrée de 9 pouces avec du papier peint.
3. Dans une grande casserole, mettez le bout. Ajoutez le maître et continuez jusqu'à ce que vous soyez complètement arrêté. Incorporer le bout à noix.
4. Ajoutez la peinture et mélangez jusqu'à ce que tout soit bien fait. Séparer le mélange dans un plan préprogrammé. Avec des mains sombres, apprenez à faire du pop-corn et essayez de faire cela même.
5. Arrosez avec les noix et les pépites de chocolat.
6. PrÃ © sente le mÃ © lange de préparation remaniant sur les arachides et le chocolat.
7. Saupoudrer avec les guimauves restantes et les produits de choix, et placez-les tous les deux pendant 5-7 minutes.
8. Laisser refroidir et ensuite descendre au réfrigérateur avant de couper.

46. Barres de ski sans cuisson
Ingrédients:

- 1/2 tasse bout à bout
- 1 1/2 tasse de graisse
- Une livre de sucre (3 à 3 1/2 tasses)
- 1 1/2 tasse de beurre de noix
- 1/2 bout à bout, fin
- 1 (12 unités) de choix de lait

Les directions:
1. Combinez les miettes de biscuits Gram, le sucre et le beurre d'arachide; bien mélanger.
2. Blend in the melted peut continuer jusqu'à ce que nous soyons d'accord.
3. Prépare le mélange uniquement dans un plan de 9 x 13 pouces.
4. Faire fondre le chocolat en miettes ou dans une double cuve.
5. Servi sur un mélange de beurre de noix.
6. Refroidissez jusqu'à ce que tout soit arrêté et coupez dans les baies. (Celles-ci sont très difficiles à couper si le chocolat devient gros‖.)

47. Barres aux amandes

Yield: 32 lemon bars

Ingrédients:

- 1/4 tasse de sucre granulé
- 3/4 tasse de beurre infusé (parfois)
- 1 commentaire au moins un instant
- 2 tasses de farine tout-en-un
- 1/4 de la table ronde
Pour Lemon Bar Batter:

- 6 gros œufs
- 2 mois de mai
- 1/4 cup chopped, gingembre cristallisé
- 1/2 fois tout-en-un
- 1 cuillère à café de café
- 2 tableaux au moins zestes
- 2/3 tasse de jus de fruit
Pour Almond Mixture:

- 3/4 cup farine
- 1/2 tasse de sucre
- 1/4 cuillère à café d'arrêt
- 1/4 tasse de bout (fin)
- 1/2 amandes salées
- Gârnishâtes spéciales: un duit de sucre, crème fouettée, entre autres.

Les directions:

Pour Lemon Bar Crust:

1. Prouvez-vous déjà à 350 degrés F.

2. À l'aide d'un mélangeur debout ou à main levée, battre 1/4 tasse de sucre, 3/4 tasse de beurre et 1 cuillère à café de zeste à vitesse moyenne pendant 2 minutes ou jusqu'à ce que le mélange soit crémeux.

3. Dans un grand bol séparé, combinez 2 cuillères de farine et 1/4 cuillère à café de lait. Graduellement et les boues sèches (flot et arrêt) à la crème crémeuse, le sucre et les œufs. Mélangez jusqu'à ce que tout soit bien pensé.

4. Après que le choc est mélangé, installez un plat de 9 x 13 pouces avec une certaine solution de neutralisation. Placez le plat vide et bon dans le réfrigérateur pour refroidir pendant au moins 15 minutes avant de battre.

5. Réinstallez la cuve du réfrigérateur et placez la pâte dans le plan jusqu'à ce que vous créiez une couche uniforme. (Ne manquez pas les frères!)

6. Faites une pause de 15 à 20 minutes dans votre four ou jusqu'à ce que légèrement cassé.

7. Réduisez la croûte du dessus et réduisez la température du four à 325 degrés F.

8. Laissez la croûte reposer sur le côté pour le moment.

ForLemon bar Batter:

1. Fouettez les 6 œufs et 2 tasses de sucre.

2. Dans un robot culinaire ou plus doux, placez-le dans la 1/2 tasse de farine avec le 1/4 de tasse de gingembre cristallisé. Mélangez les deux ingrédients ensemble jusqu'à ce qu'ils soient complètement combinés. Prévu de préparer le mélange de flot et de gingembre dans une bulle de taille moyenne.

3. Incorporer 1 tasse de levure chimique dans le mélange de farine et de gingembre.

4. Lentement et les bas de la farine et le gingembre se mélangent dans le bol contenant les œufs et le sucre.

5. Fouettez dans le moment juste et 2 tableaux de zeste de citron jusqu'à ce que vous soyez complètement convaincu et un peu.

6. Versez la pâte de barre de citron sur la croûte refroidie, scintillant et secouant la cuve pour permettre à toutes les bulles d'air de s'échapper.
7. Faites cuire les baies de citron dans votre magasin pendant 15 à 20 minutes ou jusqu'à ce que le dernier remplissage ait à peine commencé.
8. Supprimez les quelques barrières de l'un et placez-les à l'écart pour le moment.

Pour Sliced Almond Mixture:

1. Mélangez le 3/4 cuillère à café de farine, 1/2 tasse de sucre et 1/4 cuillère à café de sel dans un petit bol.
2. Versez le 1/4 cuillère à soupe de fond, et remettez les ingrédients jusqu'à ce qu'ils soient bien satisfaits.
3. Ajouter la 1/2 tasse de fines amandes et remuer une fois de plus.
4. Arrosez le mélange presque et sucré sur les baies de citron chaudes, puis placez les petites baies dans le même temps pendant 20 à 25 minutes supplémentaires ou jusqu'à ce qu'elles soient légèrement dorées en
5. Retirez les petits barreaux de ceux-ci et laissez-les refroidir dans la cuve de battage sur un rack de refroidissement filaire pour au moins 1 heure.
6. Coupez-vous un peu de barrières individuellesqet même tout de suite avec une séance de vendredi, si vous le souhaitez.

48. Barre de chocolat

Ingrédients:

- 1/4 tasse de bout
- 4 tasses de choix

Les directions:

1. Arrêtez le choix dans un bol sec et transparent, au-dessus d'une casserole d'eau à peine minime. Si vous souhaitez modifier le choix, ajoutez le vôtre.
2. Une fois que le choix est mélangé (et tempéré, si le chocolat est tempéré), retirez le bol de la pièce et essuyez la mousse du fond du bol.
3. Versez ou cuillère une couche de choix dans vos plus grands. Déposez-les sur le comptoir quelques fois pour distribuer le chocolat tous les jours et vérifiez tous leurs bulles; puis travailler rapidement, garnir de toutes sortes de noix, de fruits secs ou d'autres ingrédients que vous avez et que vous les apprenez très légèrement.
4. Vous pouvez également mélanger les ingrédients dans le bon choix, comme de trop gros écrous, voir, créer un mélange spécial, bien conçu, puis versez dans le moule les ingrédients, puis versez dans le moule.
5. Mettez immédiatement les baies dans le réfrigérateur jusqu'à ce qu'elles soient fermes. Si un choix judicieux est utilisé, il ne devrait pas leur falloir plus de cinq minutes pour se raffermir. Sinon, le choix durera plus longtemps.

49. Barres à l'avoine

Temps de préparation: 15 minutes Temps de cuisson: 25-30 minutes Portions: 14-16

Ingrédients:

- 1¼ tasse de flocons d'avoine à l'ancienne
- 1¼ tasse de farine tout usage
- ½ tasse de noix grillées finement hachées (voir Note)
- ½ tasse de sucre
- ½ cuillère à café de bicarbonate de soude
- ¼ cuillère à café de sel
- 1 tasse de beurre fondu
- 2 cuillères à café de vanille
- 1 tasse de confiture de bonne qualité
- 4 biscuits Graham entiers (8 carrés), écrasés
- Crème fouettée, pour servir (facultatif)

Les directions:

1. Préchauffer le four à 350 ° F. Graisser un moule carré de 9 pouces. Dans un bol, mettre et mélanger les flocons d'avoine, la farine, les noix, le sucre, le bicarbonate de soude et le sel. Dans un petit bol, mélanger le beurre et la vanille. Ajouter le mélange de beurre au mélange d'avoine et mélanger jusqu'à ce qu'il soit friable.

2. Réserver 1 tasse pour la garniture et presser le reste du mélange d'avoine dans le fond du plat de cuisson. Répartissez la confiture uniformément sur le dessus. Ajouter les craquelins écrasés au mélange d'avoine réservé et saupoudrer sur la confiture. Cuire au four pendant environ 25 à 30 minutes, ou jusqu'à ce que les bords soient dorés. Laisser refroidir complètement dans la casserole sur une grille.

3. Couper en 16 carrés. Servir en ajoutant une cuillerée de crème fouettée si désiré.

4. Le conserver dans un récipient en verre au réfrigérateur aidera à le conserver.

50. Barres moelleuses aux pacanes

Ingrédients:
- Spray de cuisson antiadhésif
- 2 tasses plus
- 2 cuillères à soupe de farine tout usage, divisées
- ½ tasse de sucre granulé
- 2 cuillères à soupe plus
- 2 cuillères à café beurre
- 3½ cuillères à café de beurre non salé, coupé en morceaux
- ¾ cuillère à café plus une pincée de sel casher, divisé
- ¾ tasse de cassonade foncée tassée
- 4 gros œufs
- 2 cuillères à café d'extrait de vanille
- 1 tasse de sirop de maïs léger
- 2 tasses de pacanes hachées
- Noix de pécan coupées en deux

Les directions:

1. Préchauffer le four à 340 ° F. Graisser la casserole à l'aide d'un spray antiadhésif et tapisser de papier sulfurisé avec un surplomb des deux côtés afin de pouvoir soulever facilement les barres de la casserole.
2. En utilisant un mélangeur ou un robot culinaire, mélangez la farine, le sucre, les sortes de beurre et ¾ cuillère à café de sel. Le mélange se formera en touffes.
3. Transférer la pâte dans le moule préparé. Appuyez fermement et uniformément dans le fond de la casserole. Percer la croûte de partout avec une fourchette et cuire au

four jusqu'à ce qu'elle soit légère à légèrement dorée, 30 à 35 minutes.

4. Dans le même bol du robot culinaire, mélanger la cassonade, les 2 cuillères à soupe restantes de farine, une pincée de sel, les œufs, la vanille et le sirop de maïs. (Ajoutez le sirop de maïs en dernier, pour qu'il ne reste pas coincé au fond du robot culinaire.)

5. Pulser jusqu'à ce que complètement combiné. Transformez le mélange dans un grand bol et ajoutez les pacanes.

6. Répartir uniformément le mélange de pacanes sur la croûte cuite. Placez quelques moitiés de pacanes supplémentaires sur le dessus de la garniture comme décoration.

7. Remettez la casserole dans le four et laissez-la cuire jusqu'à ce que le centre soit réglé de 35 à 40 minutes. Au cas où l'intérieur vacillerait encore, préparez-vous pour quelques minutes de plus; si vous remarquez que les barres commencent à gonfler au centre, retirez-les immédiatement. Mettez-les dans une grille et laissez refroidir avant de les couper en 16 carrés (2 pouces) et de soulever les barres.

8. Conservation: Conservez les barres dans un contenant hermétique à température ambiante pendant 3 à 5 jours ou congelez jusqu'à 6 mois. Ils peuvent être très collants, alors enveloppez-les dans du parchemin ou du papier ciré.

CONCLUSION

Les meilleures barres à dessert ont généralement des couches de saveur et se déclinent en de nombreuses variantes, les possibilités sont infinies, voyez ce que vous pouvez proposer!

Les bars à desserts sont également un très beau cadeau de Noël ou tout autre cadeau pour une occasion spéciale pour les amis et la famille. Qui ne voudrait pas recevoir un emballage joliment décoré rempli de barres à dessert maison? Cela pourrait être l'un des meilleurs cadeaux de tous les temps! Ils ont une durée de conservation assez longue et peuvent être cuits quelques jours à l'avance. Ils peuvent également être conservés au congélateur s'ils sont bien emballés dans une pellicule plastique.

Avec ce livre de cuisine, vous donnerez certainement envie à vos invités de revenir pour manger sur une autre place!

Lightning Source UK Ltd.
Milton Keynes UK
UKHW020745030621
384855UK00001B/203

9 781802 884197